La Belle au Bois Dormant

RACONTÉ PAR NICOLE VALLÉE

IMAGES DE DENISE CHABOT

LECTURE TRÈS FACILE

FERNAND NATHAN

Il était une fois, il y a bien longtemps,
un roi et une reine qui se désespéraient
de ne pas avoir d'enfant.
Un jour enfin, la reine donne naissance
à une petite fille. Elle est si heureuse
qu'elle veut lui faire un baptême magnifique.
Alors, le roi convoque tous les princes
du royaume et décide d'inviter aussi
toutes les fées qu'on pourra trouver,
pour être les marraines de sa fille
et lui offrir de merveilleux cadeaux.

Le jour de la cérémonie, sept fées sont là.
On a préparé pour elles un grand festin,
avec des couverts d'or et de pierreries.
Mais, au moment où les invités
vont prendre place à table, une vieille fée,
qu'on a oubliée, arrive soudain…
Elle est très vexée
de n'avoir pas été conviée,
d'autant plus que pour elle il ne reste pas
de couverts aussi beaux que pour les autres.
Elle jure en elle-même de se venger.

Quand le repas est terminé,
tour à tour, chacune des fées
se penche au-dessus du berceau
pour faire un don à la princesse.
« Tu seras d'une beauté incomparable »,
dit la première. Et la deuxième s'exclame :
« Tu auras plus d'esprit qu'un ange ! »
La petite princesse reçoit ainsi des autres fées,
la grâce, le don du chant, de la danse,
et celui de jouer de tous les instruments !

Soudain, la vieille fée qu'on n'a pas invitée
se précipite vers le berceau :
« Tu te piqueras le doigt avec un fuseau
et tu en mourras », dit-elle méchamment.

Heureusement, la dernière bonne fée
n'a pas encore accordé son don.
Elle s'avance et dit :
« Je ne puis annuler entièrement
le mauvais sort jeté par mon ancienne ;
mais au lieu de mourir après t'être piquée,
tu t'endormiras seulement... pour cent ans !
Et puis, le fils d'un roi viendra te réveiller. »

L'une après l'autre, quinze années passent ;
la petite princesse a grandi ;
elle est devenue la plus belle demoiselle
du royaume de son père.
Celui-ci a ordonné à tous ses sujets
de se débarrasser de leurs fuseaux,
pour que sa fille ne risque pas de se piquer.
Mais un jour, la princesse monte tout en haut
de l'une des tours du château.
Et là, dans un grenier, est assise une femme
qui file de la laine sur un fuseau.
Elle vit seule et ignore les ordres du roi.

La princesse veut essayer de filer, elle aussi ;
à peine a-t-elle saisi le fuseau
qu'elle se pique le doigt

et tombe endormie aussitôt.

Le roi son père la fait étendre sur son lit,
puis envoie un message
à la jeune fée qui l'a protégée.
En arrivant, celle-ci décide
d'endormir tout le monde dans le château
(à l'exception du roi et de la reine),
pour que la princesse ne manque de rien
quand elle s'éveillera, cent ans plus tard.

Ensuite, elle fait pousser
autour du château une vaste forêt,
si épaisse et si touffue,
que nul ne peut la traverser ;
du château on n'aperçoit plus
que le sommet des tours,
et encore, de très loin...

Les années passent, et, cent ans plus tard,
alors que tous ont oublié
le roi, la princesse et les fées,
il advient que le fils d'un roi,
attiré par les tours qu'il aperçoit,
dominant les cimes de la forêt,
s'en approche et veut y pénétrer.
O prodige ! devant lui les branches s'écartent
puis se referment toutes seules,
semblant l'attirer toujours plus avant.
Enfin, il se trouve devant le château.
Il entre à l'intérieur et voit
une foule de gens endormis.
Grande est sa surprise !

Après avoir franchi bien des portes,
traversé de nombreuses pièces,
le prince arrive dans la chambre
où repose la princesse.
Il est émerveillé de sa beauté.
Elle lui plaît tant que, sur-le-champ,
il décide de l'épouser.

Dès qu'il se penche au-dessus du lit,
la princesse s'éveille et lui sourit,
trouvant son prince aussi charmant
que celui auquel elle a rêvé.
Dans tout le château monte une rumeur :
dames d'honneur, gardes, serviteurs
se réveillent à leur tour
et reprennent leurs occupations
comme s'ils venaient de les quitter.

La princesse, elle, raconte au prince
son étrange aventure
et pourquoi elle a si longtemps dormi.
Et lui, tout en l'écoutant,
l'admire de plus en plus.
Le soir même, l'aumônier les marie
dans la chapelle du château.
Il y a une fête magnifique,
à laquelle prennent part
dames d'honneur, gardes et serviteurs.
Le prince et son épouse vécurent très heureux.
Ils eurent deux enfants, un garçon et une fille,
beaux et bons comme eux,
qu'ils aimaient plus que tout au monde.

Achevé d'imprimer par
Artes Gráficas Grijelmo, S. A.
au mois de Mai 1984
N.º d'éditeur: O 35917
Imprimé en Espagne